P9-DGC-668

Sir Steve Stevenson

Le secret de la déesse

Texte de Sir Steve Stevenson.
Illustrations de Stefano Turconi.
Cet ouvrage a initialement paru en langue italienne
aux éditions De Agostini, sous le titre
La perla del Bengala.

Traduction : Anouk Filippini.
Mise en page : Julie Simoens.

Hachette Livre, 43, quai de Grenelle, 75015 Paris.

Sir Steve Stevenson

Le secret de la déesse

hachette JEUNESSE

LES PERSONNAGES

Agatha

Pas de mystère, c'est bien une Mistery !
Agatha est une experte en énigmes et aime résoudre les enquêtes les plus coriaces. Sa mémoire prodigieuse est célèbre dans sa famille... elle note toujours tout !
Et grâce à Larry, son cousin, elle voyage dans le monde entier !

Larry

Élève à l'Eye, la célèbre école de détectives, il a tendance à paniquer quand on lui confie une mission... Heureusement, ce génie de l'informatique ne se déplace jamais sans ses gadgets ultramodernes. Avec Agatha, ils forment une équipe imbattable !

Mister Kent

Toujours discret et disponible, cet ancien boxeur n'a peur de personne ! C'est un excellent garde du corps qui veille sur les Mistery pendant leurs missions.

Watson

Curieux et malin, ce n'est pas un hasard si Watson porte le nom du célèbre assistant de Sherlock Holmes ! Son seul défaut : il a une dent contre Larry...

Oncle Raymond

Cet aventurier a choisi une vie extraordinaire dans un pays qui l'est tout autant ! Il n'a peur de rien et se plie en quatre pour aider les jeunes détectives pendant leur séjour en Inde...

LA DESTINATION

Le golfe du Bengale, en Inde.

L'OBJECTIF

Retrouver la fameuse perle du Bengale, un bijou très précieux volé dans le temple de la déesse Kâlî, dans la région du Gange.

200
INDIA
KISAN
REGD No. 194390
किसान
THE COMORIN MATCH INDUSTRIES
(PRIVATE) LTD. KOVILPATTI.

L'ENQUÊTE COMMENCE...

Par un samedi après-midi de la mi-octobre, Larry Mistery essaie de passer entre les centaines de parapluies qui ont éclos pendant l'averse. En quelques minutes, Londres s'est transformée en cette ville grise, sale et boueuse si bien décrite dans les romans de Charles Dickens.

Larry se dépêche : ses amis l'attendent au bowling de Hasting Street, et il a déjà vingt minutes de retard. Comme d'habitude, il s'est réveillé tard, a englouti une part de pizza

froide en écoutant du rap, puis il a quitté son immeuble de Baker Street sans vérifier la météo. Une erreur fatale quand on vit à Londres ! L'averse l'a pris par surprise, et maintenant il est trempé de la tête aux pieds. Les autres doivent déjà être en train de s'échauffer pour la traditionnelle partie du samedi soir. Mais alors, pourquoi ne l'appellent-ils pas pour savoir ce qu'il fabrique ?

À cette pensée, il se fige au beau milieu du trottoir.

— Oh non ! gémit-il.

Il fouille nerveusement dans ses poches de pantalon. Rien, à part quelques pennies. Il tâte la lanière à laquelle il a l'habitude d'accrocher son précieux appareil. Rien non plus.

— Mais où je l'ai mis ?!

À l'Eye International, la grande école de détectives qu'il fréquente, il n'y a qu'une seule règle à respecter : ne jamais se séparer de son matériel. Et quand on parle de matériel, il ne s'agit pas du traditionnel kit de détective, avec une loupe, un microscope, un émetteur-récepteur et tout l'équipement pour relever les indices. Toutes ces fonctions (et bien d'autres encore) sont rassemblées dans un seul et unique engin ultra technologique appelé EyeNet.

S'il a perdu son gadget high tech, Larry est dans un sacré pétrin. Debout sur le trottoir, il essaie de se souvenir de ce qu'il a fait la veille. Il a joué à la console chez Clark, puis il est rentré chez lui vers minuit, épuisé. Il s'est jeté sur le canapé et s'est endormi tout habillé devant la télé allumée. En y pensant bien, il ne se rappelle pas avoir suspendu l'EyeNet à son crochet au-dessus du canapé. Le téléphone est donc chez Clark.

Heureusement, quelques minutes plus tard, Larry arrive au bowling, où il retrouve ses amis et son précieux téléphone (Clark a eu la bonne idée de le prendre avec lui). Sur l'écran de son appareil, il y a une dizaine de messages, tous de l'école. Larry va directement au dernier de la liste et pousse un cri désespéré :

— Calcutta ? En Inde ? Il n'y a qu'Agatha pour me sortir de là !

Ses amis le voient partir en courant. Ils secouent la tête et se remettent à jouer. Avec la famille Mistery, rien ne peut plus les étonner.

Chapitre 1
Réunion surprise

La Mistery House est un vieux manoir au toit bleu qui domine un immense parc à la périphérie de Londres. Portes qui claquent, planchers qui grincent : pendant les orages, la maison est carrément lugubre. Les pièces en enfilade sont alors traversées de courants d'air, qui sifflent dans les corridors comme des soupirs de fantômes inquiets…

Mais ses habitants ne se laissent

pas facilement intimider. Pour Agatha, ces bruits sinistres créent une atmosphère mystérieuse propice à l'imagination.

La pluie bat contre les carreaux de la fenêtre, comme si elle voulait entrer.

— C'est une journée idéale pour écrire, n'est-ce pas Watson ? demande Agatha à son chat sibérien blanc, qui ronronne à ses côtés. Mais d'abord, on va regarder un bon film !

Dans la salle de cinéma, au sous-sol, Mister Kent, le majordome de la Mistery House, est déjà en train de préparer le vieux projecteur.

Même en plein après-midi, il est toujours vêtu d'un smoking et ses cheveux sentent bon la brillantine.

Agatha a choisi un film d'Alfred Hitchcock. Watson l'adore.

Soudain, alors qu'Agatha plonge

avec délice dans le film (Alfred Hitchcock est un grand maître du suspens), une main mouillée se pose sur son épaule.

— Larry ?

— Lui-même !

— Qu'est-ce que tu fais là ?

— Une urgence, Agatha, chuchote Larry en essayant d'éponger ses cheveux dégoulinants avec un mouchoir en papier. Tu aurais quelques minutes à m'accorder, s'il te plaît ?

Au ton de sa voix, Agatha comprend que ça risque de prendre plus de quelques minutes.

— L'école m'a confié une nouvelle mission, explique Larry en se laissant tomber sur le fauteuil voisin.

Watson s'enfuit avec un miaulement désapprobateur. Il faut dire qu'il n'est pas très copain avec Larry.

— Je dois résoudre une histoire

complètement dingue ! ajoute Larry sur un ton de conspirateur.

— Dis-moi tout. On doit aller où cette fois ? demande Agatha, déjà captivée.

— Dans un village du parc national des Sundarbans, près de Calcutta.

— Quoi ?! Par la barbe de la Reine, mes parents sont justement en Inde en ce moment !

— Je m'excuse de vous contredire, intervient Mister Kent. Mais Lord et Lady Mistery sont à New Delhi, la capitale, dans l'ouest du pays. Calcutta est à l'opposé, dans l'est. À des centaines de kilomètres de là.

C'est juste. Mais il n'empêche. Agatha a peur de les croiser par hasard à l'occasion d'une escale. Elle n'a jamais dit à ses parents qu'elle accompagne Larry pour ses missions aux quatre coins du monde…

— On pourrait leur faire une surprise, suggère Larry.

— Quel genre de surprise ?

— C'est simple, une fois qu'on a résolu l'enquête, on file les rejoindre à New Delhi. Ils vont adorer !

— C'est plutôt une bonne idée, murmure Agatha en se grattant le nez. Allez, c'est d'accord ! décide-t-elle. Allons sur mon ordinateur pour télécharger les détails de la mission.

Avec Larry, ils ouvrent le dossier principal : c'est une vidéo de l'agent UM60, avec ses moustaches en pointes et son chapeau melon. Larry devient immédiatement blême.

« Je serai bref, commence le professeur d'un ton sévère. Nous disposons de très peu d'éléments : un coup de téléphone, quelques photos et un dossier sur les personnes impliquées dans ce mystère. Un mystère

dont nous savons peu de choses. C'est vous qui devrez combler les blancs afin de résoudre l'énigme. Vous avez cinq jours, pas un de plus, pour être reçu à votre examen. Bonne chance ! »

— Intéressant, commente Agatha.

— Inquiétant, corrige Larry.

Agatha ouvre alors le fichier sonore, celui avec le coup de fil enregistré. Le son est tellement mauvais

qu'ils sont obligés de réécouter plusieurs fois le message pour comprendre certains passages :

« Quelqu'un est entré dans la maison... *CREEEK CREEEK*... On a forcé la serrure et j'entends des pas dans les escaliers... *CREEEK CREEEK*... Je sais ce qu'il veut... C'est la perle, il veut la perle !... S'il m'arrive quelque chose, contactez mon cher ami... *CREEEK CREEEK*... Deshpande... *TUUUT TUUUUT TUUUT*... »

— Ça va être passionnant ! lance Agatha. Si on trouve à qui appartient cette voix, on pourra remonter le fil de l'histoire. N'est-ce pas, Larry ?

Mais Larry ne répond pas. Il se frotte les tempes, comme s'il souffrait d'un épouvantable mal de tête...

भारत INDIA
KISAN
किसान
THE COMORIN MATCH INDUSTRIES
(PRIVATE)LTD. KOVILPATTI.

Chapitre 2

Destination Calcutta

Il n'y a qu'un seul vol direct pour Calcutta, et il part de l'aéroport d'Heathrow à 10 heures du soir. Les cousins Mistery ont donc quelques heures pour préparer leur mission.

Mister Kent est chargé de réserver le vol et de s'occuper de tous les détails du voyage. Larry doit étudier attentivement les dossiers envoyés par l'école. Agatha, de son côté, s'installe

dans l'immense bibliothèque familiale afin de se documenter sur l'Inde.

— Si ma mémoire est bonne, dit-elle à Larry, quelqu'un de notre famille a écrit un article sur les tigres du Bengale pour le *National Geographic.*

— Quoi ? Des tigres ?

— Bien sûr, répond Agatha, d'un air détaché. C'est dans la région des Sundarbans qu'on trouve la plus grande colonie du monde de mangeurs d'hommes !

— Bonne nouvelle... soupire Larry en retournant à ses dossiers. Comme si cet insupportable chat ne suffisait pas, voilà qu'on va avoir des tigres maintenant !

Agatha retrouve finalement le magazine parmi les milliers de revues classées sur les rayonnages de la grande bibliothèque.

— J'avais raison ! Notre oncle s'appelle Raymond Mistery et il est photographe naturaliste. Un genre d'aventurier.

Les deux cousins vérifient alors sur l'arbre généalogique de la famille, un arbre très original, en forme de planisphère sur lequel sont indiqués le lieu de résidence, le métier et le degré de parenté de tous les Mistery.

— Le voilà ! Oncle Raymond. Il habite à Calcutta.

Elle décroche le téléphone et compose le numéro indiqué sur l'article du *National Geographic.*

— Espérons qu'il travaille tard et qu'il sera encore dans son studio photo. À Calcutta, il doit être environ 10h du soir...

À l'autre bout du fil, ça sonne.

— ... il pourrait nous être très utile !

Finalement un homme répond d'une voix énergique. C'est oncle Raymond. Avec Agatha, ils parlent pendant au moins une demi-heure. Quand elle raccroche, Agatha a les oreilles toutes rouges.

— Notre tonton est un sacré bavard. Mais en tout cas, il est très enthousiaste ! Il est déjà au travail pour nous obtenir les autorisations : on en aura besoin pour visiter le parc national des Sundarbans. En revanche, il m'a posé une drôle de question.

— Laquelle ?

— Il m'a demandé si l'un de nous sait piloter un avion.

Mister Kent vient juste d'entrer dans la pièce avec sa discrétion habituelle.

— Je ne sais pas si ça peut être utile, mais j'ai pris quelques leçons

de pilotage. Il y a des années de cela…

— Génial !

— Oui, mademoiselle. Et le dîner est servi.

Une heure plus tard, ils ont dévoré le délicieux repas préparé par Mister Kent. Agatha attaque son pudding au chocolat.

— Alors, que disent les dossiers, Larry ?

— Il s'agit d'un vol.

— La perle évoquée au cours du coup de téléphone ?

— Ce n'est pas n'importe quelle perle. C'est la fameuse perle du Bengale !

Agatha se frotte le bout du nez.

— Mmm… J'en ai déjà entendu parler. Un temple hindou perdu dans la

mangrove. Une très vieille statue de la déesse Kâlî… Si je me souviens bien… La perle est posée sur une des mains de la déesse, non ?

— Tu as ouvert la bonne case dans ta mémoire, ma chère cousine. Le village s'appelle Chotoka et il se trouve dans le delta du Gange… Un endroit très difficile d'accès, ajoute Larry.

— Autre chose ?

— Le jour du vol, le gardien du temple, un vieil homme, nommé Amitav Chandra, a lui aussi disparu. Il était le seul à pouvoir reconnaître, parmi plus de cent clefs, les dix qui permettent d'ouvrir le portail du temple. C'est sa voix qu'on entend sur l'enregistrement.

— Enlèvement ou meurtre ?

— Pour l'instant personne ne le sait. Dans le parc national des Sundarbans, il n'y a pas de police, seule-

ment des gardes forestiers, avec à leur tête le capitaine Deshpande.

— L'ami à qui on doit s'adresser ?

— Oui, répond Larry en posant sur la table plusieurs photos imprimées.

Elles montrent le paysage sauvage de la mangrove, le village de Chotoka, perdu dans la végétation, et même les bungalows de l'hôtel Tiger.

— C'est là qu'oncle Raymond nous conseille de descendre, dit Agatha. Récapitulons : hier, on a volé dans un temple hindou une perle rare dont la valeur est inestimable.

Elle pose sur la table une photo de la merveilleuse perle noire aux reflets argentés.

— Juste avant le vol, le gardien, Amitav Chandra, a téléphoné à l'Eye International depuis chez lui. Quelqu'un l'a obligé à ouvrir le

portail pour dérober la perle du Bengale. Ensuite…

— Ensuite, le gardien s'est évaporé.

— Dans le coup de fil, il disait qu'on pouvait contacter Deshpande, le capitaine des gardes forestiers…

— Miss Agatha, il se fait tard, intervient Mister Kent. Si vous ne voulez pas rater l'avion…

भारत INDIA
KISAN
REGD No. 194390
किसान
THE COMORIN MATCH INDUSTRIES
(PRIVATE) LTD. KOVILPATTI.

Chapitre 3

L'intrépide oncle Raymond

Ils atterrissent à Calcutta à 13 h 30 heure locale, le lendemain. Le hall de l'aéroport ressemble à une ville miniature : des vitrines luxueuses côtoient des boutiques plus modestes où s'entassent des montagnes de tissus multicolores, de bracelets en argent et de colliers de perles. La foule colorée est composée de femmes en saris, et d'hommes vêtus de blanc ou de marron clair, avec un turban sur la tête.

Ils sont accueillis par un trentenaire bronzé, blond et jovial. Avec sa chemisette verte, son short kaki et ses chaussures de marche, il est le portrait même de l'aventurier.

— Bienvenue en Inde, l'endroit le plus surprenant de la planète ! s'exclame Raymond Mistery avec un sourire éclatant.

Après une énergique poignée de main à Mister Kent, oncle Raymond serre longuement ses neveux dans ses bras.

— Alors, mes amis, lequel d'entre vous sait piloter un avion ? demande-t-il sans attendre.

On dirait qu'il est pressé de retourner dans la légendaire jungle du Bengale.

— J'ai été recalé trois fois à l'examen, commence Mister Kent en se grattant la mâchoire... Mais je sais tenir le manche, contrôler l'altimètre et...

— Magnifique ! l'interrompt oncle Raymond. Sans copilote, ils ne nous laisseraient jamais décoller !

Le majordome sort sa tenue d'aviateur : chapeau avec cache-oreilles, lunettes teintées et veste en cuir marron.

— Splendide, mon ami ! lance Raymond.

Agatha éclate de rire, mais Larry est moins détendu.

— Tu ne trouves pas notre oncle un peu trop optimiste ? murmure-t-il à l'oreille de sa cousine tandis qu'ils approchent de la zone réservée aux avions privés.

— C'est un roc, une force de la nature, répond Agatha, les yeux brillants d'admiration.

L'aéroplane d'oncle Raymond est un énorme Canadair jaune, dont les ailes peintes en rouge sont entièrement couvertes d'autocollants multicolores. Vingt mètres de long, trente mètres d'amplitude. Un engin capable d'atterrir sur un plan d'eau.

— Avant c'était un avion anti-incendie, mais je l'ai un peu bricolé pour l'adapter à mes besoins, explique Raymond avec fierté. Il est beau, non ?

— Il est fantastique ! s'exclame Agatha. Et il plairait à mes parents. Ils adorent les moyens de transport farfelus !

Mister Kent transpire sous sa veste en cuir. Ils montent dans la carlingue du Canadair et remarquent alors qu'elle est aménagée comme une petite habitation : il y a un hamac, un réchaud à gaz, de la vaisselle, des provisions, des réserves d'eau, des cannes à pêche et du matériel photo.

— Je ne m'occupe pas que des tigres, vous savez, dit oncle Raymond en leur montrant sa combinaison de plongée. En ce moment, les dauphins remontent le Gange depuis le golfe du Bengale. J'aimerais prendre quelques photos.

— À quoi servent toutes ces fioles ? demande Larry.

— Ça ? C'est pour les serpents.

— Des serpents venimeux ? bredouille Larry.

— Mortels.

Les genoux de Larry tremblent encore quand oncle Raymond et Mister Kent s'installent aux commandes. Les hélices se mettent à tourner. Pour Larry, c'est le pire décollage de sa vie. L'avion tangue dangereusement. Le garçon est obligé de s'agripper à une grosse poignée, alors que sa cousine regarde tranquillement par le hublot comme si de rien n'était. Lorsque l'avion a trouvé son point d'équilibre dans le ciel, Raymond laisse Mister Kent tenir le manche, et vient dans la cabine discuter un peu avec ses neveux.

Larry sort son EyeNet, qui plaît beaucoup à Raymond.

— Lui, je le connais, dit-il en s'arrêtant sur la photo de Deshpande. C'est le capitaine des gardes forestiers. Il y a environ un an, il a été attaqué par un tigre. Il était doué pour débusquer les braconniers mais, après cette vilaine blessure, il n'a plus jamais été le même.

— M. Chandra nous a conseillé de nous adresser à lui. Mais dis donc, tonton, qu'est-ce que tu sais des gens du village de Chotoka ?

— Ce sont presque tous des pêcheurs et des artisans, à part bien

sûr les prêtres du temple de Kâlî, les pèlerins et quelques touristes passionnés de nature sauvage. Ils n'ont pas grand-chose pour vivre mais ils adorent le cinéma, Internet et les téléphones portables ! C'est pas une belle contradiction ça ?

Agatha et Larry sourient. Leur oncle a une manière de toujours présenter les choses sous l'angle de la bonne humeur. Soudain, il se lève et repart vers la cabine de pilotage.

— Tout va bien, mon ami ? Descends à 600, nous sommes presque arrivés !

Par les hublots, les deux cousins observent le paysage des Sundarbans, et l'immense delta du Gange.

— On l'appelle « le pays des marées », murmure Agatha, car l'eau et la terre se confondent pour former de petites îles qui apparais-

sent et disparaissent continuellement.

— Heureusement que ce n'est plus la saison des pluies ! Sinon nous n'aurions pas pu venir en avion ! précise oncle Raymond en s'installant aux commandes. Je reprends le manche, mon ami. Maintenant, nous allons atterrir.

L'avion amorce sa descente. Une fois posé sur l'eau, oncle Raymond ouvre la porte arrière de l'avion.

— Je vous déconseille la baignade, le fleuve est infesté de serpents venimeux.

— Et… comment on va aller jusqu'à la rive ? demande Agatha, inquiète.

— En canot pneumatique, naturellement !

Décidément, oncle Raymond a réponse à tout.

Chapitre 4
La liste de Deshpande

Le canot accoste sur la rive boueuse de Chotoka. Une petite foule s'est rassemblée pour les accueillir. Il y a aussi un homme de grande taille, qui les attend sur la volée de marches menant à l'entrée du village. Il a une paire de grosses moustaches et porte une tenue de camouflage. Le béret un peu penché sur l'oreille, il s'appuie sur une canne en bambou.

— Bonjour, capitaine Deshpande ! crie oncle Raymond.

— Bienvenue, professeur Mistery. Qu'est-ce qui vous amène à Chotoka à cette époque de l'année ? Je vous croyais en train de photographier les dauphins !

Agatha note une drôle de vibration dans sa voix, comme si la présence d'étrangers le contrariait. D'ailleurs, il ajoute d'un ton peu aimable :

— Je vous attends dans mon bureau avec vos permis en bonne et due forme.

Et il s'éloigne en boitillant.

Raymond finit de rassembler leurs affaires et il confie les autorisations à ses compagnons.

— Deshpande est un homme intelligent et qui ne lâche pas le morceau. Il va vous soumettre à un interrogatoire serré et il va vouloir connaître le motif de votre présence ici.

Agatha réfléchit quelques minutes. Puis elle annonce avec un grand sourire :

— On va lui dire la vérité !

— Quoi ! tremble Larry. Tu veux lui parler de l'Eye International ?

— Bien sûr ! Toute la vérité. Sauf un petit détail, naturellement...

— Lequel ?

— Écoutez-moi bien. On ne devra jamais mentionner le coup de télé-

phone de Chandra, d'accord ? C'est la seule chose que personne au village ne peut savoir. Pas même le voleur. Ce sera notre botte secrète.

Une fois dans le bureau de Deshpande, le capitaine les fixe avec une lueur amusée dans les yeux.

— Et donc, comme ça, vous êtes venus m'aider. Vous n'êtes pas un peu jeunes pour jouer les détectives ?

— Ils sont jeunes, mais très intelligents… intervient oncle Raymond.

Le capitaine les dévisage quelques instants. Tout le monde retient son souffle.

— Alors, mes chers collègues, finit-il par dire. Comment puis-je vous aider ?

Larry pousse un soupir de soulagement.

— Les suspects, lance Agatha. Qui sont-ils ?

— D'abord... commence Deshpande. Il y a le brahmane Sangali. Il ne s'est jamais entendu avec Chandra sur la gestion du temple. Ensuite le couple de touristes espagnols descendus à l'hôtel Tiger : ce sont des voleurs internationaux. Et puis...

Le capitaine hésite.

— Vous avez promis de nous aider, capitaine, l'encourage Agatha.

— Vous comprenez, c'est délicat... Bon. Vous connaissez Tom Chandra ? Le célèbre acteur de Bollywood ?

— Vous voulez dire Hollywood, monsieur, le corrige Larry.

Agatha fusille son cousin du regard.

— Larry ! Bollywood est la plus grande industrie cinématographique du monde. L'équivalent indien de Hollywood !

— Oui, bon, je le savais…

— En tout cas, reprend Agatha, on ne connaît pas Tom Chandra. Qui est-ce ?

— C'est lui le principal suspect. Tom Chandra, de son vrai nom Kanaï, est le fils d'Amitav Chandra.

Cette révélation les laisse sans voix. C'est oncle Raymond qui reprend la parole en premier.

— Et ces suspects, où sont-ils ? Vous les avez arrêtés ?

— Non, professeur Mistery. Je n'ai pas assez d'éléments contre eux. J'ai recueilli leurs dépositions et je les ai obligés à rester au village. Au moins jusqu'à ce que nous ayons retrouvé mon cher ami Amitav. En vie, je l'espère.

— Mais pourquoi dites-vous que Tom Chandra est le principal suspect ?

— Il est revenu à Chotoka il y a

dix jours. Il voulait à tout prix se réconcilier avec son père, qui ne lui a jamais pardonné d'être devenu acteur. Le jour de la disparition d'Amitav, ils ont eu une violente dispute. Ensuite, pendant la nuit, plusieurs personnes auraient vu Tom rôder autour de la maison de son père. Le problème c'est qu'il faisait très sombre...

— Il est donc impossible de l'incriminer formellement, ajoute Larry.

Il est déçu. Lui qui pensait tenir le coupable. Agatha se lève pour prendre congé.

— Merci capitaine Deshpande. Pour pouvoir vous aider, j'aurais besoin de trois choses.

— Lesquelles ?

— Il nous faudrait une copie des dépositions des suspects.

— Très bien.

— On voudrait également l'autorisation de les interroger.

— Accordée.

— Enfin, on aimerait examiner la maison de Chandra et le temple de Kâlî.

Là, le capitaine n'est plus d'accord.

— Désolé, mais ce n'est pas possible, dit-il d'un ton ferme. Jusqu'à nouvel ordre, ces lieux sont placés sous scellés.

Contre toute attente, Agatha n'insiste pas. Elle lui tend la main.

— Pour l'instant ce sera tout, dit-elle aimablement. Si vous avez besoin de nous, on sera à l'hôtel Tiger.

Avec sous le bras la liste des suspects, Agatha et ses amis quittent le bureau du capitaine.

INDIA
KISAN
REGD No. 194390
किसान
THE COMORIN MATCH INDUSTRIES
(PRIVATE) LTD. KOVILPATTI.

Chapitre 5
Un thé à l'hôtel Tiger

Le village de Chotoka est coupé en deux par la rue principale, qui monte en pente douce vers le temple de Kâlî. De chaque côté de la rue, serrées les unes contre les autres, de petites habitations, des ateliers artisanaux en tous genres et des boutiques minuscules, où des femmes et des enfants travaillent en silence. La plupart des bâtiments sont en bois, avec des toits de paille.

— C'est à cause du risque d'inondations que les maisons sont sur pilotis, oncle Raymond ? demande Larry.

— Pas seulement. C'est aussi pour se prémunir contre les visites d'animaux dangereux : scorpions, serpents, crocodiles, léopards, tigres ! s'emballe oncle Raymond.

Il ferme les yeux et prend une grande inspiration.

— Quel endroit merveilleux, les enfants. Je sens partout l'appel de l'aventure !

— Oui, dit Agatha en consultant sa montre. En attendant, je prendrais volontiers une bonne tasse de thé avec quelques biscuits.

C'est qu'il est déjà plus de 5 heures.

Le complexe de bungalows touristiques de l'hôtel Tiger forme un L autour d'un jardin à l'anglaise bien ordonné. Plusieurs touristes profitent du jardin sur la grande terrasse dallée : il y a un vieil homme en costume rayé, avec un pince-nez, en train de lire le journal. Un couple qui discute avec animation. Et un jeune homme indien, très élégant dans sa tunique bleue. Il observe, pensif, les volutes de son cigare…

— On connaît trois d'entre eux, chuchote Agatha.

— Oui, répond Larry sur le même ton. Les deux Espagnols et Tom Chandra. Mais qui est le gentleman au journal ?

— On ne va pas tarder à le savoir, affirme Agatha.

Après s'être rafraîchis dans leur chambre, Larry et Agatha retournent au jardin pour y prendre le thé. Raymond et Mister Kent sont partis décharger le matériel. Ils ont prévu de se retrouver pour le dîner. Les deux Espagnols et le vieux monsieur sont déjà partis. Sur la terrasse, il ne reste que Tom Chandra.

Avec ses cheveux longs et soyeux, ses yeux d'un vert lumineux, le garçon est vraiment très beau. Mais il a l'air inquiet. Il accueille les deux cousins avec une indifférence teintée d'ennui.

— Je n'ai plus de photos signées. Si vous voulez un autographe, apportez-moi un papier et un stylo.

Agatha, sa tasse de thé à la main, s'installe d'office à la table du jeune homme.

— On est désolés pour ce qui est arrivé à votre père, monsieur Chandra. On sait que vous l'aimez beaucoup.

— Ah oui ? Et bien vous êtes les seuls à penser ça ! Grâce au capitaine

Deshpande, tout le village me prend pour un voleur et un assassin.

— C'est un peu comme se retrouver en prison, n'est-ce pas ? Vous ne pouvez pas sortir de l'hôtel, vous ne pouvez pas participer aux recherches, vous ne pouvez pas rentrer chez vous…

— Je suis revenu après toutes ces années avec plein de projets en tête : une nouvelle école, un cinéma… on peut faire tellement de choses avec l'argent de mes succès.

— Mais on ne peut pas acheter la confiance d'un père… suggère Agatha en dégustant sa tasse de thé.

— Je vous jure que j'ai tout essayé ! s'écrie Tom, encouragé par le ton compréhensif d'Agatha. Mais il a honte de moi. Il dit que j'ai été corrompu par l'argent et la célébrité.

— Vous vous disputiez beaucoup ?

demande Larry innocemment.

Tom Chandra éclate de rire.

— C'est drôle que vous parliez de ça. L'après-midi qui a précédé sa disparition, il m'a passé un de ces savons ! En plein milieu de la rue ! Et depuis, je ne l'ai plus jamais revu.

Tout aussi soudainement, son visage se ferme à nouveau dans une expression de tristesse.

— Je sais que certains disent qu'ils m'ont vu rôder autour de chez lui ce soir-là. Mais c'est faux. J'étais dans ma chambre. Le garçon de la réception peut en témoigner.

— Vous auriez pu sauter par la fenêtre… lui fait remarquer Agatha. C'est un saut de quelques mètres.

Tom Chandra lui lance un regard de travers.

— Je n'ai pas volé la perle du Bengale, dit-il doucement. Pour quoi

faire ? Je suis déjà riche à millions.

Soudain, le capitaine Deshpande, deux gardes forestiers et un pêcheur arrivent dans le parc de l'hôtel. Tom Chandra reste impassible. Le pêcheur s'arrête alors devant lui et le montre du doigt.

— C'est lui. J'en suis certain. Cet homme a forcé la maison du gardien, puis il s'est glissé à l'intérieur. Je le reconnais.

Impuissants, Larry et Agatha voient Tom Chandra se faire menotter sans opposer aucune résistance. Les deux gardes l'emmènent, direction la prison.

— Je n'aurai plus besoin de renforts, mes amis, dit le capitaine Deshpande en clopinant vers la table de Larry et Agatha. J'ai finalement trouvé un témoin digne de confiance. Il était parti pêcher depuis deux

jours sur le fleuve. Dommage qu'on ne l'ait pas interrogé plus tôt !

Agatha lui accorde son plus joli sourire.

— Est-ce que je dois vous rendre les dépositions, Capitaine ?

— Gardez-les, gardez-les... soupire-t-il en s'éloignant. De toutes les façons, l'affaire est résolue.

भारत INDIA
KISAN
REGD No. 194390
किसान
THE COMORIN MATCH INDUSTRIES
(PRIVATE) LTD. KOVILPATTI.

Chapitre 6

Quelque chose ne colle pas !

À l'heure du dîner, sur la terrasse panoramique de l'hôtel, le soleil couchant enflamme le ciel et se reflète dans le miroir formé par les eaux immobiles du Gange. Les bruits de la forêt complètent ce tableau enchanteur.

— L'affaire n'est pas résolue le moins du monde, conclut Agatha lorsqu'elle a fini de tout raconter à oncle Raymond et à Mister Kent. Le capitaine a mis Tom en prison, mais on n'a pas encore retrouvé Amitav Chandra, ni la perle d'ailleurs.

— Selon vous, ce n'est pas le bon coupable ? demande Mister Kent.

Il semble épuisé. Avec Raymond, ils ont travaillé dur.

— Écoutez-moi, dit Agatha. Deshpande n'a pas tenu compte de l'alibi de Tom Chandra. Le garçon prétend qu'il n'a pas quitté sa chambre la nuit du vol. Je pensais qu'il avait pu sauter par la fenêtre, mais venez avec moi.

Agatha se lève et emmène ses amis jusqu'à la rambarde du belvédère. Au niveau de la chambre de Tom Chandra, le mur de l'hôtel croule sous un amas de fleurs, tiges de bambous et autres plantes épineuses.

— Je n'avais pas bien regardé, malheureusement, ajoute-t-elle. Il n'a pas pu sauter par là.

— Je n'y mettrais pas les pieds, même avec ma machette, ajoute oncle Raymond. Personne ne peut traverser ce genre de fourrés sans se blesser.

— Alors son alibi est valable. Et le capitaine Deshpande a arrêté la mauvaise personne.

Pendant quelques instants, le petit groupe passe en revue les possibilités qui s'offrent à eux. Faut-il prévenir Deshpande ?

— Je ne crois pas, conclut Agatha. Maintenant, le vrai coupable va se sentir en sécurité. Et il va peut-être commettre une erreur…

Il leur faut donc s'intéresser aux autres suspects. Grâce à son EyeNet, Larry a fait quelques recherches sur le couple d'Espagnols. Ils ont commis des

vols dans le monde entier. Un souvenir de la tour Eiffel à Paris, un Colisée miniature à Rome, une figurine de Mickey à Disneyland... Mais ils n'ont jamais rien volé de précieux.

— Je ne crois pas que des cambrioleurs de haut vol s'amusent à dérober des souvenirs et des figurines, fait remarquer Agatha. Je pense plutôt qu'on a affaire à des kleptomanes, c'est le terme médical, si ma mémoire ne me trompe pas.

— Je le pense aussi, approuve oncle Raymond. La kleptomanie est le besoin de voler des objets, même s'ils n'ont aucune valeur. C'est une maladie.

— Vu la valeur de la perle, ça ne colle pas, ajoute Mister Kent.

— Exactement. Passons aux autres suspects de la liste de Deshpande. Tu connais Sangali le brahmane, oncle Raymond ?

— Pas personnellement.

— Alors, que diriez-vous d'avoir une petite discussion avec lui ?

Il est plus de 11 heures du soir, et les habitants de Chotoka sont tous rentrés chez eux. Agatha et ses amis traversent le village désert jusqu'au temple. La pente est de plus en plus raide à mesure qu'ils avancent dans la jungle. Sur l'esplanade devant le temple, une trentaine de pèlerins entonnent des chants sacrés à la lueur des flambeaux. Entre les volutes d'encens, Agatha découvre l'antique sanctuaire, et elle en reste bouche bée. Le temple se dresse sur une base carrée d'environ dix mètres, et on y accède par des marches décorées de fresques et de bas reliefs dédiés à la déesse Kâlî. Une atmosphère terrible et menaçante s'en dégage.

— Vous avez remarqué le garde à

l'entrée ? chuchote Larry. Deshpande n'a pas enlevé les scellés.

— C'est bizarre puisqu'il croit tenir le coupable, note Mister Kent.

Quand il les aperçoit, le brahmane vient à leur rencontre. Il accepte de leur parler et les emmène un peu à l'écart, à l'abri d'un gros arbre.

À la fin de la discussion, Agatha est convaincue, et ses amis aussi, que le prêtre ne peut pas être le coupable. Pour lui, Kâlî est la mère du monde, la divinité la plus puissante de toutes, la seule à pouvoir les protéger contre les catastrophes et les maux de la terre. Jamais il n'aurait osé voler la perle.

Agatha salue le brahmane

en joignant ses deux mains sur sa poitrine, et la petite troupe prend congé. Oncle Raymond se dirige vers le port, où il a amarré son avion. Les autres rentrent à l'hôtel Tiger. Ils ont bien mérité une bonne nuit de repos.

— Tu as entendu ce qu'il nous a dit ? demande Agatha à Larry en se glissant sous les draps. Il y a trois ou quatre nouveaux pèlerins, arrivés dernièrement.

— Oui, mais impossible de les voir, il faisait trop sombre, répond Larry en bâillant.

Avant de plonger dans le sommeil, Agatha réfléchit. Ils ont démontré l'innocence de tous les suspects de la liste de Deshpande. Mais ils n'ont pas trouvé le coupable.

Elle a déjà oublié le gentleman au pince-nez, celui qui lisait son journal sur la terrasse de l'hôtel...

Chapitre 7
La statue de Kâlî

Le lendemain matin, à 7 h 30, le calme règne dans le village de Chotoka. Les pêcheurs sont partis à l'aube, les autres activités reprennent doucement et en silence. C'est un vrai petit coin de paradis. Agatha avale une gorgée de thé vert et elle prend une grande inspiration pour humer l'air frais du matin. Soudain, oncle Raymond surgit. Il est très agité.

— Vous avez entendu la nouvelle ? demande-t-il de but en blanc.

— Non, répond Larry, occupé à émietter des morceaux de gâteau dans son yaourt.

Oncle Raymond tend le bras en direction du fleuve.

— J'ai eu la visite des gardes forestiers. Je dois déplacer mon avion.

— Pourquoi ?

— Le capitaine Deshpande a averti la police de Calcutta. Un bateau va venir chercher Tom Chandra à midi !

— C'est une blague ? siffle Agatha, dont la tasse de thé tremble entre ses doigts. Il n'y a pas une minute à perdre. On doit faire quelque chose pour aider Tom !

— Pourquoi on ne raconte tout simplement pas à Deshpande ce qu'on a découvert ? demande Larry. C'est le plus simple !

— Ça ne servirait à rien, répond Agatha. Le capitaine est convaincu de sa culpabilité. Tout ce qu'il attend, ce sont des aveux.

— Mais qu'est-ce qu'on peut faire ? Il nous reste quatre heures… gémit Larry, paniqué.

— Trouver le coupable, affirme Mister Kent avec un calme olympien.

Agatha file à la réception, où elle demande une carte du parc national des Sundarbans. Elle la déploie sur la table et l'étudie avec soin pendant plusieurs minutes. Larry, de son côté, se lamente en se grattant la tête.

— On n'a pas le moindre indice ! Pas la moindre preuve !

À ces mots, Agatha s'arrête net et fixe son cousin :

— Larry, tu es un génie !

— Moi ? Mais je suis le pire détective de la Terre ! proteste Larry.

— Pas du tout. On était focalisés sur la liste de Deshpande. Alors qu'une vraie enquête se base sur la recherche des preuves et des indices.

— Mais le temple est bouclé. Comment on fait pour entrer ?

— J'ai un plan. Venez tous ici.

Agatha montre un endroit sur la carte, puis elle explique son plan à ses compagnons. Pour finir, elle demande :

— Il vous faut combien de temps, oncle Raymond ?

— Dix minutes d'avion pour aller là-bas, et une heure et demie de marche pour revenir.

— Parfait ! Alors rendez-vous au temple de Kâlî à 10 heures précises.

Une fois oncle Raymond et Mister Kent partis pour leur destination secrète, Larry et Agatha sont obligés d'attendre. Près de deux heures qui

leur semblent interminables. Enfin, à 9 h 30, ils prennent la direction du temple. Ils s'arrêtent quelques mètres avant, profitant de la végétation pour se cacher et observer les pèlerins en prière. Il y a toujours un garde devant la porte. Dans la forêt, les bruits des animaux sont un peu effrayants et Larry n'en mène pas large. Soudain, à 9 h 55, on entend un terrible rugissement. Les pèlerins arrêtent de chanter et le garde jette de rapides coups d'œil à droite et à gauche. Un autre rugissement déchire l'air, plus près cette fois. On voit alors surgir, sortant de la forêt d'un pas souple et majestueux, un superbe félin. Un tigre. Les pèlerins hurlent de terreur et s'enfuient à toutes jambes vers le village. Le garde aussi. Watson, plus courageux, s'avance en trottinant à la rencontre

du fauve. Le chat et le tigre se reniflent, et oncle Raymond sort de sa cachette, souriant.

— C'est bien, Maya ! dit-il au tigre. Tu as fait du bon boulot mais, maintenant, je vais te ramener chez toi.

La voie est libre. Pendant que Raymond court après Maya pour lui remettre son collier, Agatha, Mister Kent et Larry pénètrent sans difficulté dans le temple. Il fait sombre et l'air est chargé d'encens. Le faisceau de la lampe torche révèle des

meubles en bois finement ouvragés, des vases en bronze remplis d'huile parfumée, des milliers de décorations. Lorsque la lumière éclaire la statue de Kâlî, l'atmosphère change immédiatement. Larry recule instinctivement, effrayé par l'aspect monstrueux de la déesse. Agatha le rassure :

— Kâlî la Noire est une déesse guerrière, qui protège les hommes contre les démons… murmure-t-elle. Tu ne dois pas avoir peur. Je pense que si on la respecte, elle va nous livrer son secret.

Elle balaie la statue avec le faisceau de sa lampe.

— Si ma mémoire est bonne, Kâlî porte une épée, un bouclier, une coupe et un lacet.

La coupe n'est plus là. La main droite, celle du haut, est vide. Le cer-

veau d'Agatha tourne à plein régime.

— Trois mètres de hauteur... pas moyen de poser une échelle... Impossible d'escalader la statue...

Agatha se frotte le bout du nez. Soudain, elle explose :

— J'ai trouvé ! Le voleur a utilisé quelque chose de long pour faire tomber la perle. Faites-moi la courte échelle, il faut que je regarde de plus près.

Agatha remarque alors quelques petits résidus verts.

— J'ai compris ! crie-t-elle. Je sais qui a volé la perle !

À cet instant même, la porte s'ouvre à toute volée. L'homme qui s'avance porte un habit de pèlerin, et il braque un pistolet sur eux. Il ôte alors sa capuche. Il a un visage familier. Un visage connu même.

— Tom Chandra ! s'exclament en cœur les trois amis.

200
भारत INDIA
KISAN
REGD No. 194390
किसान
THE COMORIN MATCH INDUSTRIES
(PRIVATE) LTD. KOVILPATTI.

Chapitre 8
Verdict final

Bon sang, mais c'est bien sûr ! C'est lui qu'Agatha a cru voir la veille parmi les pèlerins qui priaient au temple !

Cheveux noirs, allure élégante : c'était Tom Chandra. Pourtant, elle n'a pas fait le lien…

Mais, il n'est pas censé se trouver en prison ?

Tout doucement, Agatha lève les mains en l'air et elle chuchote :

— Tom, baissez votre arme, on

sait que ce n'est pas vous le coupable.

D'un geste, l'homme leur intime l'ordre de sortir du temple. Son regard est menaçant, il a l'air furieux.

La porte du temple s'ouvre à nouveau et oncle Raymond entre en criant joyeusement :

— J'ai réussi à remettre son collier à cette coquine de Maya !

Profitant de la diversion, Mister Kent passe à l'action. Il se met à sautiller comme un boxeur et frappe leur agresseur. Un seul coup, à la mâchoire, mais porté avec la force d'un poids lourd.

— Bravo ! crie oncle Raymond. Tu n'aurais jamais dû abandonner le ring, mon ami !

Larry est aux anges. Agatha, penchée sur l'homme à terre, vérifie qu'il est vraiment sonné. Elle lui soulève les paupières.

— Tout s'explique, murmure-t-elle. Venez voir ses yeux.

Ils ne sont pas verts mais marron.

— C'est le sosie de Tom Chandra. Sans doute, sa doublure au cinéma.

Elle se gratte le nez et ajoute :

— Maintenant, je comprends mieux pourquoi il est venu au village déguisé en pèlerin...

Il est déjà 11 h 30 ! Le bateau emportant le vrai Tom Chandra va partir ! Mister Kent charge l'homme évanoui sur ses épaules et ils partent tous au pas de course.

Vingt minutes plus tard, la petite

troupe déboule sur la rive du fleuve : deux hommes, deux enfants, un chat, un pèlerin évanoui et un tigre en laisse. Le capitaine Deshpande est en train d'embarquer Tom Chandra, menotté.

— Stop ! crie Agatha. Vous arrêtez la mauvaise personne.

Le policier de Calcutta fixe Mister Kent, puis le sosie de Tom Chandra.

— Qu'est-ce que c'est ? Une blague ? demande-t-il à Deshpande.

— Ne faites pas attention à ces détectives de pacotille, répond le capitaine avec arrogance. Ils ne savent plus quoi faire pour attirer l'attention.

— Oh que si, on sait quoi faire, répond Agatha en descendant doucement les marches de pierre. On va vous faire jeter en prison pour l'enlèvement d'Amitav Chandra et le vol de la perle.

— J'aimerais entendre ce que ces jeunes gens ont à nous dire, si vous le permettez, dit le policier.

Larry a sorti son EyeNet et il fait écouter au policier le coup de fil d'Amitav Chandra.

— Le gardien du temple a téléphoné à notre agence de détectives, explique-t-il. Au début, on a cru qu'il nous demandait de contacter son ami Deshpande. Mais si on écoute attentivement le passage final…

Larry revient un peu en arrière :

« S'il m'arrive quelque chose, contactez mon cher ami… *CREEK CREEK*… Deshpande… »

— Quand il prononce le mot Deshpande, on dirait qu'il est surpris, comme s'il se trouvait subitement devant lui.

— Cela ne veut rien dire ! intervient brusquement le capitaine.

On a de nombreux témoins qui ont vu Tom entrer en douce chez son père.

— Bien sûr, intervient Agatha. Sauf que ce n'était pas Tom, mais son sosie, qui pendant tout ce temps était resté caché parmi les pèlerins. Et cette nuit-là, vous vous êtes arrangés pour que les voisins le remarquent, histoire de faire retomber la faute sur Tom, n'est-ce pas ?

Agatha fixe le capitaine, de plus en plus penché sur son bâton.

— La doublure de Tom et le capitaine Deshpande ont menacé M. Chandra pour qu'il leur ouvre le temple. Jusque-là pas de problème. Mais après, ils ne savaient pas comment attraper la perle. Finalement, Deshpande a eu l'idée de la faire tomber avec sa canne.

— Quoi ? s'étrangle le capitaine.

— On a trouvé des petites écorces de bambou, capitaine. La police pourra vérifier.

— Mais, dites-moi, jeune fille. D'après vous, où se trouve M. Chandra ? Où est la perle ? demande le policier.

— Si j'étais la police, j'irais jeter un coup d'œil chez le capitaine.

C'est le moment que choisit Deshpande pour prendre la fuite. Très vite, il est arrêté par un ancien poids lourd, un fringuant aventurier et un tigre affamé. Tom va être libéré, et tout le village s'est rassemblé pour les applaudir. Après tout, ils ont résolu l'énigme !

— Appelez-moi agent LM14, dit fièrement Larry en tendant la main au policier de Calcutta.

— Comment s'appelle votre agence ?

— Ça, je ne peux pas vous le dire, c'est confidentiel !

Soudain, Larry remarque dans la petite foule assemblée sur le port le gentleman en costume clair, celui avec un pince-nez.

— À qui ai-je l'honneur ? demande Larry en s'approchant pour le saluer.

— Bonjour, agent LM14. Je suis l'Observateur. Je me félicite que l'école compte des gens tels que vous parmi ses élèves. Je ferai un rapport à l'Eye International sur votre excellent travail.

MISSION ACCOMPLIE

La police retrouve Amitav Chandra ligoté et bâillonné dans un cagibi chez Deshpande. La perle du Bengale, elle, est cachée dans la chambre, au fond d'une chaussette. Elle est immédiatement confiée au brahmane Sangali, qui rassemble tout le village pour la ramener jusqu'au temple de Kâlî.

Dans le cortège joyeux et coloré, il y a aussi Amitav Chandra et son fils Tom. Ils se tiennent la main.

Et tout de suite derrière, un petit groupe, avec à sa tête Agatha.

— Pourquoi vous ne viendriez pas avec moi à Bombay ? leur demande Tom Chandra. Je pourrais vous don-

ner un rôle dans ma prochaine superproduction. Et puis Bombay est une ville merveilleuse.

— Je suis désolée, mais nous devons nous rendre à New Delhi, répond Agatha avant que Larry n'ait eu le temps d'accepter. Nous nous sommes promis de faire une belle surprise à mes parents.

— Vous avez raison, murmure Tom, ému. N'oubliez jamais à quel point votre famille est importante. Et écoutez vos parents. Ils sont parfois de bon conseil.

Agatha et Larry sourient. Derrière eux, oncle Raymond et Mister Kent parlent de boxe, l'ancien champion mimant quelques coups dans les airs.

Après un banquet et une soirée inoubliables, il est temps de repartir.

— Cette fois, c'est toi qui pilotes, lance Raymond à Mister Kent. Tu sais faire un décollage sur l'eau ?

Larry est bien obligé d'admettre qu'il avait tort la dernière fois. C'est aujourd'hui le pire décollage de sa vie. Le Canadair frôle la cime des arbres sur au moins un kilomètre, comme un

barbier inexpérimenté, puis il pique vers les étoiles, direction New Delhi.

Lorsqu'Agatha et Larry ouvrent les yeux, le soleil s'est levé et Watson miaule pour ses croquettes.

— Nous avons voyagé toute la nuit ? demande Agatha.

— Oui, répond Raymond. Je me suis assoupi, c'est mon grand ami Kent qui a piloté pendant tout le voyage !

Ils atterrissent à 8 heures du matin.

— Allô maman ? lance joyeusement Agatha dans l'émetteur de l'EyeNet.

— Ma chérie ! Comment ça va ? répond Rebecca Mistery.

— J'ai une surprise pour toi et papa. On est à New Delhi ! Mais... quelque chose ne va pas ?

— Non, c'est seulement l'éléphant qui fait des siennes.

— L'éléphant ?

— Oui, nous avions une journée de libre, alors nous avons décidé de faire une balade à dos d'éléphant avec ton père. Vous nous rejoignez ?

— Oh non ! se lamente Larry, qui rêve d'une piscine et d'une boisson fraîche.

— Bien sûr qu'on vous rejoint ! lance Agatha.

Larry n'a plus qu'à se rendre. Il le sait pourtant, avec les Mistery on ne peut jamais se reposer !

FIN

Agatha Mistery

**De nouveaux mystères à élucider ?
Pas de panique, Agatha et Larry
s'en chargent !**

Découvre de nouvelles aventures dans les prochains tomes :

La malédiction du pharaon

Le trésor du roi

Les bijoux de la diva

Meurtre à la tour Eiffel

LES MISTERY

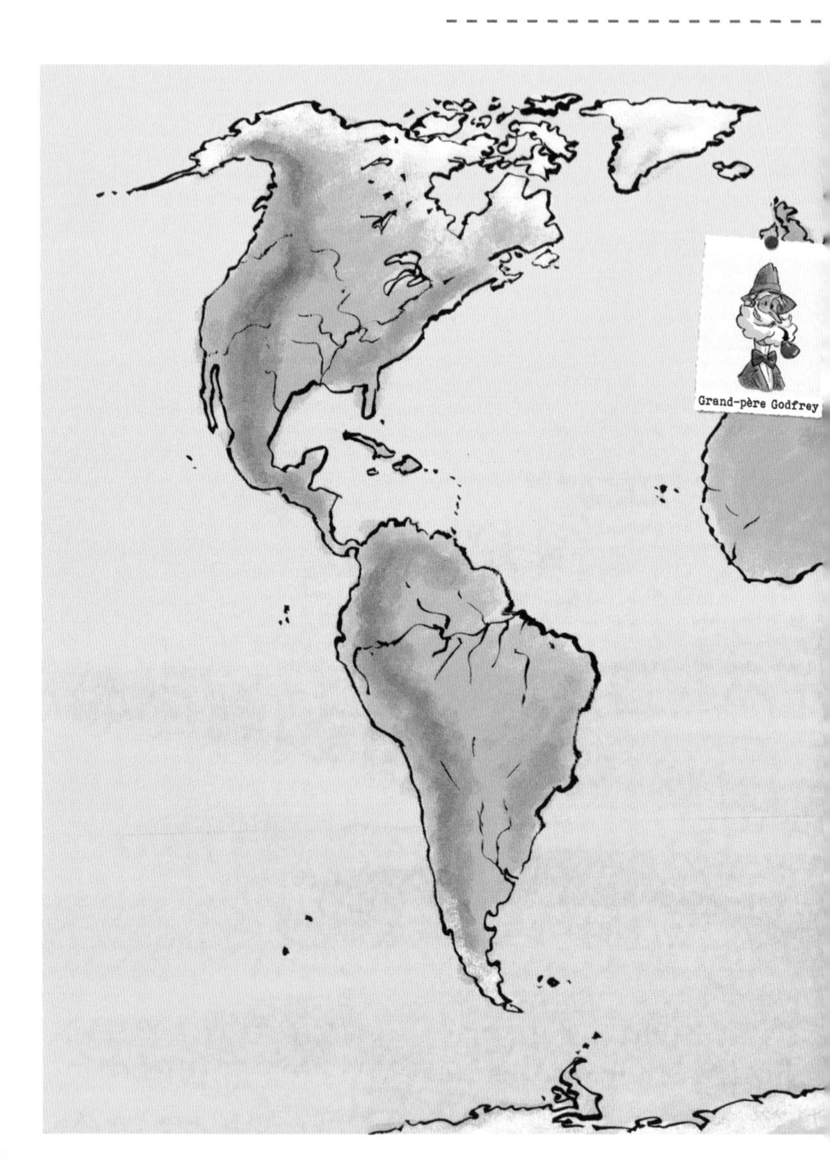

À TRAVERS LE MONDE...

TABLE

hachette s'engage pour l'environnement en réduisant l'empreinte carbone de ses livres. Celle de cet exemplaire est de :
400 g éq. CO_2
Rendez-vous sur www.hachette-durable.fr

Photogravure Nord Compo - Villeneuve d'Ascq

Imprimé en Roumanie par G. Canale & C. S.A.
Dépôt légal : mars 2012
Achevé d'imprimer : janvier 2014
20.2777.9/05 – ISBN 978-2-01-202777-0
Loi n° 49956 du 16 juillet 1949
sur les publications destinées à la jeunesse